LES DESSINS
D'ARCHITECTURE
DU XIXe SIÈCLE

REMERCIEMENTS

Que soient ici remerciés tous les responsables
des collections qui ont aimablement accepté
que soient reproduites les œuvres dont ils ont la
charge ainsi que tous ceux qui m'ont communiqué
des renseignements pour la rédaction des notices,
tout spécialement C. Birk, Jean-Paul Carlhian, Martine Kahane, Jill Lever,
Caroline Mathieu,
Dieter Radicke, Gyongyi Smee.

LES DESSINS
D'ARCHITECTURE
DU XIXe SIÈCLE

ANNIE JACQUES

SOMMAIRE

INTRODUCTION

Julien Guadet, dans le premier chapitre des *Éléments et théorie de l'architecture,* synthèse de son cours professé à l'École des Beaux-Arts à la fin du siècle dernier, détaille les connaissances de base qui sont le préalable nécessaire aux études d'architecture : ce sont principalement les mathématiques, la physique et la géométrie descriptive. Puis il consacre plusieurs chapitres à la discipline qu'il juge essentielle : "Du dessin, une seule chose est à dire : vous ne serez jamais assez dessinateur. Étudiez le dessin de façon sérieuse et sévère, non pour faire des images agréables, mais pour serrer de près une forme et un contour ; apprenez à connaître votre modèle, quel qu'il soit, à le rendre fidèlement."

En effet, jusqu'à une époque récente, le dessin a été l'unique mode de représentation et de communication de la démarche de l'architecte. Au XIXᵉ siècle cette discipline connaît une sorte d'apogée. C'est toujours l'outil de conception privilégié pour la construction des bâtiments, mais c'est aussi un art qui permet d'élaborer des œuvres dont l'intérêt est indépendant des monuments représentés. Comme l'écrit le théoricien Quatremère de Quincy à l'article "dessin" de l'*Encyclopédie méthodique* publiée en l'an IX (1799) "la plupart des anciens dessins d'architecture n'étaient que de simples traits à la plume... lavés légèrement au bistre. Les modernes architectes semblent avoir fait un art particulier de dessiner l'architecture...".

Au XIXᵉ siècle c'est au même titre que la peinture ou la sculpture, que le dessin d'architecture est exposé au Salon annuel, à Paris ou à la Royal Academy à Londres. A l'occasion des Expositions universelles, ces grandes manifestations qui ponctuent toute la seconde moitié du XIXᵉ siècle, ont souvent lieu des expositions de dessins d'architecture destinées à un large public.

Le goût pour cet art se prolongera jusqu'au début du XXᵉ siècle, au point que parfois, le dessin prendra le pas sur l'architecture elle-même. Edmond Corroyer, élève de Viollet le Duc, note à propos du Salon de 1884 : "Nous l'avons déjà dit, nous ne nous lasserons pas de le redire chaque fois que nous en trouverons l'occasion... le dessin n'est pas la fin que doit se proposer l'architecte. Il n'est qu'un moyen d'exprimer une pensée qui n'est complète que lorsque l'œuvre est bâtie, existe, pour ainsi dire par la combinaison des principes d'art et de science sans lesquels il n'est pas d'artiste... digne du nom d'architecte."

La pratique du dessin chez les architectes est une tradition dont on trouve les traces dès l'époque médiévale, comme par exemple dans l'album de Villard de Honnecourt au XIIIᵉ siècle. Dès la Renaissance Alberti, architecte et théoricien, avait défini le dessin comme le trait d'union entre l'architecture et les mathématiques. Pour Quatremère de Quincy comme pour J. Guadet "le dessin d'archi-

tecture est le dessin géométral ; le dessin géométral est le dessin exact, on peut dire le dessin par excellence. Tandis que le dessin pittoresque représente seulement l'aspect des objets, tels qu'ils paraissent, le dessin géométral les représente tels qu'ils sont... Seul, ce mode de dessin permet la réalisation identique d'une conception ou la reproduction identique d'une chose déjà réalisée. Aussi s'impose-t-il à tous les arts comme à toutes les industries qui vivent de création, qu'il s'agisse de machines ou d'orfèvrerie, d'artillerie ou de mobilier, de construction ou de décoration, de fortification ou d'architecture." A travers le plan, la coupe, les élévations, les dessins géométraux, projections mathématiques rigoureuses, expriment la réalité du bâtiment représenté en respectant toutes ses proportions. Outre le terme "dessin géométral", il existe un vocabulaire particulier propre au dessin d'architecture. On parle souvent de l'"esquisse" qui indique à grands traits les premiers éléments d'un projet ou du "rendu", dessin plus soigné, qui, grâce au modelé des ombres, projetées à 45°, et à l'utilisation de l'aquarelle permet de rendre compte de façon encore plus précise de la réalité. Dans la pratique professionnelle, le client choisit un projet à partir des esquisses de l'architecte, tandis que les rendus accompagnés des documents techniques et financiers font partie du projet définitif. En dehors de cette technique qui est la plus courante il existe des modes de représentation très sophistiqués comme l'"écorché", ou l'"axonométrie" qui permettent de figurer simultanément

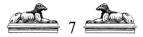

l'intérieur, l'extérieur et même, en ce qui concerne l'axonométrie, le plan du bâtiment.

Traditionnellement le dessin est le principal outil utilisé pour l'enseignement de l'architecture. Le système de l'École des Beaux-Arts est issu de celui de l'Académie royale d'architecture. Fondées à la fin du XVIIᵉ siècle par Louis XIV, les Académies royales sont supprimées pendant la Révolution. Cependant la nouvelle École des Beaux-Arts est créée à l'époque du Premier Empire à partir du regroupement des écoles académiques, celle de peinture et de sculpture et celle d'architecture, qui avaient été maintenues "provisoirement" par le gouvernement de la Convention. La formation est centrée sur l'"esquisse" qui permet de fixer le "parti" choisi par l'architecte, c'est-à-dire la conception globale du bâtiment projeté devant tenir compte de tous les éléments du programme. Les concours pour des projets "rendus" permettaient de développer plus explicitement les aspects principaux du sujet proposé.

Dans les autres pays européens, il existe des systèmes académiques analogues où sont formés parallèlement architectes, peintres et sculpteurs. En France, le Concours du Grand Prix de Rome, créé à la fin du XVIIᵉ siècle, était le couronnement des études architecturales. Il se déroulait selon le processus qui conduit de l'esquisse au projet développé. Au XIXᵉ siècle les dessins produits deviennent de purs exercices de virtuosité: leurs dimensions atteignent couramment plusieurs mètres de hauteur et de largeur. Ce concours prestigieux permettait aux vainqueurs du Grand Prix de passer plusieurs années à l'Académie de France à Rome qui, au XIXᵉ siècle, est installée à la Villa Médicis sur la colline du Pincio qui domine Rome. Les pensionnaires, lauréats du Prix de Rome, architectes, peintres, sculpteurs, graveurs et musiciens y séjournent pendant quatre à cinq ans. Les architectes se forment essentiellement aux antiquités classiques, puis à leur retour en France ils ont l'avantage de pouvoir bénéficier d'un poste d'architecte officiel du gouvernement.

A la fin du XVIIIᵉ siècle plusieurs facteurs contribuent à l'évolution du dessin d'architecture. Un genre nouveau apparaît: le dessin de fiction architecturale, exercice d'imagination, proche des décors de théâtre ou des fantaisies architecturales des Bibiena, architectes et scénographes.

On peut aussi évoquer l'influence de Piranese sur les artistes de la seconde moitié du XVIIIᵉ siècle et sur les générations qui suivront. Tout à la fois architecte, archéologue et graveur, sa vision de Rome et des monuments antiques a marqué beaucoup d'architectes. Les planches des *Prisons* ou de la *Magnificence de Rome* figurent bien souvent dans les portefeuilles de modèles, ou les collections d'estampes et de dessins des architectes. Certains rendus fantastiques où jouent des effets de lumière et de mise en scène, aux angles de vue originaux et grandioses sont directement issus des visions piranésiennes.

Il est frappant de constater l'importance de l'archéologie pour les architectes de cette époque. Comme le souligne François Loyer dans *Le Siècle de l'Industrie* (Paris, 1983): "Jamais le poids de l'histoire n'aura été aussi lourd, jamais sa connaissance n'aura été aussi bonne; c'est un paradoxe sublime que l'histoire ait servi à fonder la modernité."

La place de l'Italie et la référence aux antiquités classiques étaient déjà essentielles dans la formation des architectes depuis la Renaissance. Au XIXᵉ siècle elle prend une place encore plus grande. Le Voyage en Italie, ou comme le disent les Anglo-Saxons, le "Grand Tour", était encore réservé à des privilégiés, par exemple, en France, aux pensionnaires de l'Académie de France à Rome, ou aux artistes ou architectes faisant partie de l'entourage d'un prince ou d'un amateur éclairé et fortuné. A la fin du XVIIᵉ siècle les voyages étaient longs, ils pouvaient

durer plusieurs années et ils présentaient encore beaucoup de risques. Progressivement, dans la seconde moitié du XVIIIᵉ siècle et au début du XIXᵉ siècle, ils deviennent plus faciles. Des événements majeurs comme la découverte d'Herculanum et Pompéi, l'expédition d'Égypte, la libération de la Grèce de la domination turque contribuent à créer des pôles d'attraction nouveaux. Historiens, archéologues, on disait à l'époque "antiquaires", amateurs et artistes ont la possibilité de visiter tout ce dont ils n'avaient encore qu'une connaissance succincte et purement livresque.

La part prise par les architectes dans le développement de l'archéologie est très grande. Ce sont eux qui effectuent les relevés de tous les monuments importants. Le système des Envois de Rome est mis en place un peu avant la Révolution française : les pensionnaires de l'Académie de France à Rome sont tenus d'effectuer des relevés et des restitutions graphiques d'un monument antique, destinés à l'Académie des Beaux-Arts. Les carnets de croquis, les portefeuilles de dessins d'architectes, comme les revues d'architecture de l'époque sont remplis de références à l'Italie, à la Grèce, à l'Orient méditerranéen, Égypte, Turquie, ou Syrie. L'éclectisme architectural de la seconde moitié du XIXᵉ siècle se nourrit des références historiques les plus variées.

Dans un autre domaine de l'archéologie, il faut également retenir le rôle des architectes dans la redécouverte des monuments du patrimoine national, en France, ou dans les pays anglo-saxons. Études et relevés architecturaux sont les outils essentiels de travail des institutions qui sont mises en place au XIXᵉ siècle pour restaurer et entretenir les monuments du Moyen Âge ou de la Renaissance.

L'archéologie exercera longtemps une sorte de véritable fascination sur les architectes. Beaucoup d'entre eux joueront un rôle important dans cette spécialité jusque dans les années 1860. Puis les archéologues de métier vont progressivement prendre une place prépondérante sur les chantiers de fouilles. Comme le constate mélancoliquement Charles Garnier en 1879 dans *A travers les arts :* "Les architectes sont rarement envoyés seuls en mission ; ils doublent le plus souvent un littérateur ou un fonctionnaire qui doit écrire l'histoire du pays, rechercher les inscriptions et quelquefois diriger les fouilles. Au retour, c'est le littérateur qui naturellement décrit le voyage, parle des découvertes, patronne les dessins et énumère les dangers courus. Quant à l'architecte qui a rapporté les documents exacts, qui a tout mesuré et tout relevé, il ne lui reste parfois que la désillusion et les fièvres, compagnes des ruines..."

Après une période d'éclipse, d'oubli et de rejet pour une architecture considérée comme académique, l'histoire de l'art et l'archéologie ont, en quelque sorte, rendu justice à Charles Garnier.
Depuis une vingtaine d'années les historiens d'art ont multiplié les études consacrées à l'architecture du XIXᵉ siècle et à ses modes de représentation. Les points de vue sur le XIXᵉ siècle sont maintenant plus nuancés. Le dessin d'architecture connaît un regain d'intérêt. Catalogues, monographies et ouvrages thématiques consacrés à cette discipline paraissent régulièrement en Europe et aux États-Unis. Pour répondre au goût des amateurs toujours plus nombreux, des galeries spécialisées se sont même créées à Paris, New York ou Londres.

Le choix d'une cinquantaine d'œuvres représentatives de cette période est difficile. La sélection présentée ici est forcément arbitraire, subjective et personnelle. Elle n'a pas l'ambition d'être représentative de l'ensemble de la production européenne qui est immense.
Le choix a été en quelque sorte limité, en dépit des réserves de Julien Guadet concernant cette catégorie de dessins, aux "images agréables", peut-être parce que ce sont les plus originales qui aient été réalisées pendant un siècle décrié pendant de longues années, puis réhabilité par les historiens.

Annie JACQUES,
Conservateur du Patrimoine,
École Nationale Supérieure
des Beaux-Arts.

CHARLES PERCIER
1764-1838
Vue intérieure pour un Muséum

Vers *1810*

Aquarelle et rehauts de gouache sur esquisse à la pierre noire
avec reprises à la plume et encre noire
0,610 × 0,477
Paris, Musée du Louvre, Département des Arts graphiques

Le nom de Percier est indissociable de celui de Fontaine. Prix de l'Académie en 1786, Percier retrouve à Rome son ancien condisciple de l'Académie Royale. A leur retour en France les deux architectes travaillent ensemble et acquièrent une grande notoriété avec les travaux de la Malmaison pour Joséphine de Beauharnais et le Premier Consul. Ils deviennent ensuite très rapidement les architectes de l'Empereur. Leurs activités sont multiples. Ils créent des aménagements urbains comme le Carrousel ou la rue de Rivoli mais également des décors de fêtes, des décors intérieurs, du mobilier et des objets. Ce sont eux les inventeurs du style Empire. Dans cette association, Percier se consacre particulièrement aux publications et à l'enseignement. C'est dans son atelier que se forme toute une nouvelle génération d'architectes. Ce projet de Palais des arts montre toutes les qualités de dessinateur de cet artiste. Le décor mêle les références pompéiennes, et celles des villas romaines du XVIe siècle. Les volumes de l'architecture sont proches de certaines grandes constructions thermales de l'Antiquité.

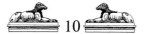

VUE INTERIEURE D'UN MONUMENT CONSACRE AUX ARTS DANS LE GENRE DE CEUX ELEVES PENDANT LE XVI SIECLE

CHARLES PERCIER

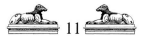

GEORGES BAILEY
1792-1860
Coupe sur le dôme du Musée John Soane

1810

Encre et aquarelle, 0,960 × 0,625

Londres, Musée John Soane

Soane, l'architecte officiel de la banque d'Angleterre, avait progressivement construit et aménagé sa maison, à la fois maison familiale et bureaux entre 1792 et 1824. C'était également le lieu de conservation de ses importantes collections: livres, dessins, estampes, peintures, maquettes, moulages, etc., consacrées essentiellement à l'architecture. En 1853, il fait don à l'État de sa maison et de ses collections, pour que l'ensemble devienne un Musée. Georges Bailey, un de ses proches collaborateurs, en est le premier conservateur. Cette coupe réalisée par lui en 1810 montre la collection des moulages antiques organisés sur trois niveaux. Quelques modifications ont été faites par Soane lui-même, d'autres moulages, notamment, ont été rajoutés, mais l'état actuel du musée est encore très proche de cette coupe.

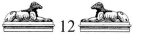

VIEW OF VARIOVS ARCHITECTVRAL SVBIECTS BELONGING TO IOHN SOANE ESQ.^R R·A· AS· ARRANGED· IN· MAY· MDCCCX·

JOSEPH DANIEL OLHMULLER
1791-1839
Projet pour le "Walhalla"
(Monument aux héros germaniques), élévation

1815

Plume et aquarelle, 0,518 × 0,365
Munich, Architektursammlung der Technischen Universität

Olhmuller est un des représentants du renouveau du style néo-gothique en Allemagne. Il fait ses études d'architecte à l'Académie des Beaux-Arts de Munich. En 1815, il a seulement 24 ans, il participe au concours pour la réalisation de la Glyptothèque de Munich et du Walhalla. Son projet est déjà d'un style tout à fait néo-gothique, plus proche d'un objet d'orfèvrerie que d'une architecture monumentale. On lui préférera les propositions de Leo Von Klenze, dans le style grec, qui réalisera les deux monuments, l'un à Munich, l'autre à Regensburg (Ratisbonne). En 1817-1819, Olhmuller part faire le traditionnel voyage en Italie. Entre 1819 et 1830, il travaille à Munich, avec Leo Von Klenze pour la réalisation de la Glyptothèque. Sa courte carrière sera ensuite essentiellement consacrée aux constructions d'églises.

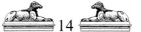

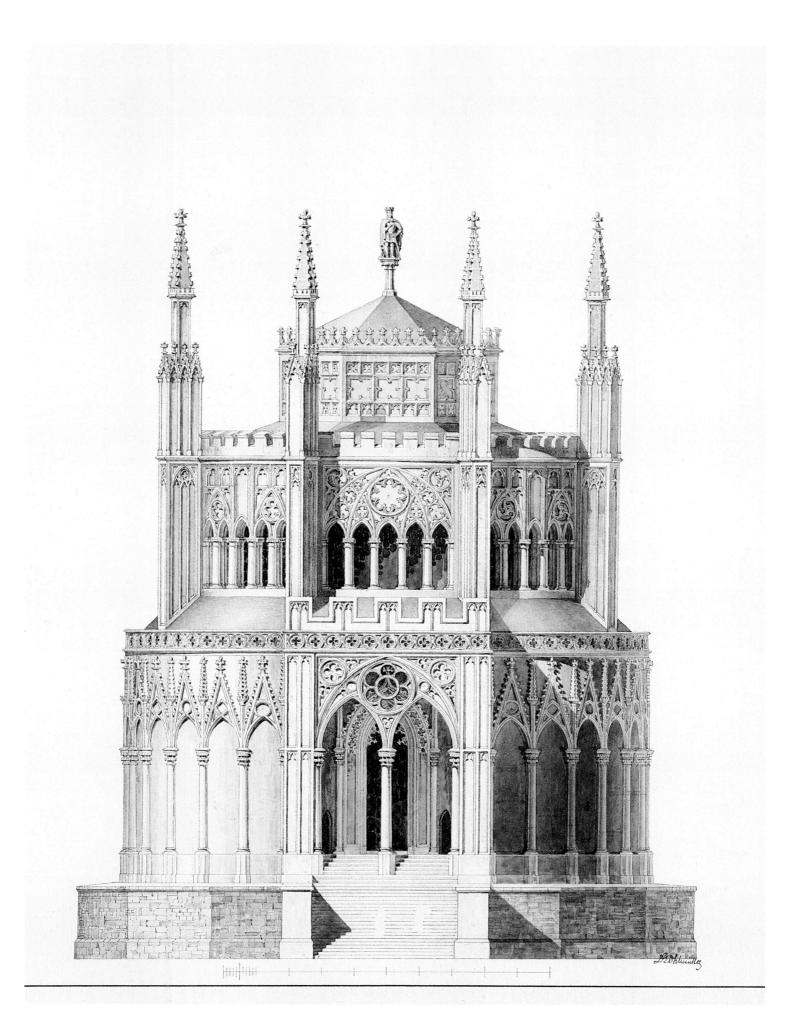

15

PIERRE-FRANÇOIS-LÉONARD FONTAINE
1762-1853
Recueil de projets d'architecture.

Projet n° 39: palais pour le Roi de Rome

1812

Crayon plume et aquarelle
0,49 × 0,64
Paris, École Nationale Supérieure des Beaux-Arts

Fontaine est le compagnon inséparable de Charles Percier. Élève comme ce dernier de l'Académie royale avant la Révolution, il remporte seulement le Second Grand Prix de l'Académie en 1785. Il part néanmoins à Rome, sur ses propres ressources pour se former aux antiquités classiques. Percier, lauréat du Premier Grand Prix en 1786, le rejoint l'année suivant. C'est pendant ce séjour que les deux hommes nouent des liens d'amitié qui dureront toute leur vie. Sous le Directoire ils deviennent les architectes et les décorateurs de la société à la mode. En 1799, ils travaillent pour Joséphine de Beauharnais et Bonaparte à la Malmaison. Fontaine devient très rapidement l'architecte officiel de Napoléon et réalise avec Percier de nombreux travaux pour l'Empereur: aménagement du Carrousel, de la rue de Rivoli, etc.
Ce projet de palais pour le Roi de Rome, fils de Napoléon et de Marie-Louise, né le 20 mars 1811, devait être construit sur la colline de Chaillot (il en existe plusieurs versions). Les travaux commencés en 1812 furent interrompus en 1814. Après la chute de l'Empire, Fontaine travaille pour les Bourbon puis pour Louis-Philippe. Son célèbre "Journal", rédigé entre 1799 et sa mort, est un précieux document pour l'histoire de l'architecture de la première moitié du XIXe siècle.

MICHAEL GANDY ▶
1771-1843
Vue imaginaire des modèles des bâtiments publics et privés de John Soane

1818

Plume et aquarelle, 0,724 × 1,295
Londres, Musée John Soane

Michael Gandy a été formé chez l'architecte James Wyatt, puis à la Royal Academy School. Entre 1789 et 1797, il voyage en Italie. C'est un des principaux collaborateurs de Soane, pour lequel il dessinera beaucoup. Il a peu réalisé de bâtiments, mais laisse une œuvre graphique importante.
Cette perspective, exposée à la Royal Academy en 1818 représente les bâtiments construits par John Soane entre 1780 et 1815. La lumière, diffusée par le curieux luminaire à gauche, est proche de la lumière électrique, alors que celle-ci n'était pas encore inventée. L'échelle de la pièce et des maquettes est gigantesque: à droite un petit personnage, Gandy ou Soane lui-même, réduit à l'état de lilliputien, travaille à une table. Au centre, on identifie la Banque d'Angleterre.
A droite, la façade de la maison de Soane à Lincoln's Inn Field à Londres.

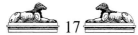

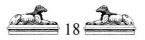

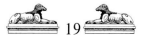

JEAN-NICOLAS HUYOT
1780-1840
LOUIS-HIPPOLYTE LEBAS
1782-1867
Architecture égyptienne, études

Pl. 83: Élévation du monument isolé à "Calapsché"

Vers *1818*

Plume et aquarelle

0,340 × 0,512

Paris, École Nationale Supérieure des Beaux-Arts

Jean-Nicolas Huyot, élève de Peyre et Grand Prix de Rome en 1807, est surtout connu pour son travail avec Chalgrin et Goust pour l'Arc de Triomphe de l'Étoile. En effet, la plus grande partie de sa vie a été consacrée aux voyages en Italie et dans l'Orient méditerranéen, à l'archéologie et à l'histoire de l'architecture qu'il enseigne à l'École des Beaux-Arts pendant de longues années.

Louis-Hippolyte Lebas a également voyagé, mais essentiellement en Italie: en 1804, en 1807 comme soldat dans les gardes de Murat, enfin en 1811. Son activité architecturale est plus importante que celle de Huyot: il est l'auteur de Notre-Dame de Lorette et de la prison de la Petite-Roquette à Paris (aujourd'hui détruite). C'est lui qui succède à Huyot comme professeur d'histoire de l'architecture à l'École des Beaux-Arts. Sans doute ce recueil a-t-il été un outil pédagogique commun aux deux hommes. Les dessins sont probablement de la main de Huyot et datent de son voyage fait en Égypte avec le Comte de Forbin, directeur des Musées royaux en 1817-1818. Le site de Kalabcheh se trouve en Nubie, le temple date de la XVIIIe dynastie, mais les ruines que voyaient les voyageurs à l'époque dataient du règne d'Auguste. C'est le plus grand temple de la région après Abou-Simbel. Il a été démonté et reconstruit sur un promontoire à 1 km au sud du barrage d'Assouan.

HENRI LABROUSTE
1801-1875
Projet de restauration de la Cité antique de Posidonia (Paestum): une des portes de la Ville

1826

Plume, aquarelle et mine de plomb

0,810 × 0,615

Paris, Académie d'Architecture

Élève de A. Vaudoyer et H. Lebas à l'École des Beaux-Arts, H. Labrouste est l'un des plus célèbres architectes français du XIXe siècle. Il remporte très jeune le Grand Prix de Rome: en 1824, il a seulement 23 ans.

Cette perspective restituée du site antique de Paestum, au sud de Salerne, fait partie des travaux préparatoires pour son Envoi de Rome de 4e année. Les dessins composant l'Envoi officiel n'étaient la plupart du temps que des dessins géométraux. L'Envoi de Labrouste remis en 1829 provoque quelques légères critiques de la part des membres de l'Académie. Mais la polémique ne porte pas sur la polychromie, car à l'époque les travaux de Hittorf sur le sujet étaient déjà très avancés et connus de l'Institut. Ici, Labrouste emploie une polychromie modeste, très en retrait de celle de Hittorf. La susceptibilité excessive du jeune architecte vis-à-vis des quelques réserves de l'Académie, envenime un débat plus général entre Quatremère de Quincy, secrétaire perpétuel de l'Académie des Beaux-Arts, et Horace Vernet, directeur de l'Académie de France à Rome, sur l'utilisation de la peinture en architecture.

Les bâtiments les plus remarquables construits par Labrouste sont la Bibliothèque Sainte-Geneviève, entre 1838 et 1850, et la Salle de lecture de la Bibliothèque Nationale, entre 1854 et 1875. L'architecte est également célèbre pour son enseignement, à l'opposé des théories de l'Académie, dispensé dans un atelier ouvert à la demande d'un certain nombre d'étudiants de l'École des Beaux-Arts, dès son retour de Rome en 1830. (Selon le système en vigueur à cette époque, tout architecte pouvait créer un atelier d'enseignement si un certain nombre d'étudiants le lui demandaient. Ce n'est qu'après la réforme de 1863 qu'existeront, à l'intérieur des locaux de la rue Bonaparte, des ateliers "officiels".)

voir pour le plan, la coupe et les détails la feuille précédente.

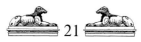 21

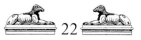

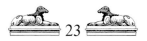

◀ **MICHAEL GANDY**
1771-1843
Vue imaginaire à vol d'oiseau
de la banque d'Angleterre
avec une partie en "écorché"

1830
Aquarelle, 0,724 × 1,300
Londres, Musée John Soane

Soane devient l'architecte de la Banque d'Angleterre en 1788. Pendant toute sa carrière, il y fait d'importants travaux d'aménagement. Ce dessin, réalisé par un de ses proches collaborateurs, Gandy, a été présenté à la Royal Academy en 1830. Il montre l'état de la banque dans une phase finale. Le dessin, traité en vue aérienne, avec une partie en "écorché", montre remarquablement la disposition des différents éléments de ce bâtiment complexe. Ce traitement permet également à Gandy d'obtenir un effet de ruines pittoresques, accentué par les éléments sculptés enfouis dans la verdure à droite.

THÉODORE LABROUSTE
1799-1885
Restauration du temple d'Hercule à Cora
(Italie), pl. 5

1831
Encre de Chine et aquarelle sur papier entoilé
0,980 × 0,650
Paris, École Nationale Supérieure des Beaux-Arts

La carrière de l'architecte Théodore Labrouste est très modeste comparée à celle de son frère Henri, son cadet de deux ans. Entré deux ans avant ce dernier à l'École des Beaux-Arts comme élève de Vaudoyer, il ne remporte le Grand Prix qu'en 1827, trois ans après son frère. Le sujet de son "Envoi" de Rome, travail de relevé et de restitution archéologique que devait fournir tout pensionnaire en contrepartie de son séjour à Rome, porte sur la restitution d'un temple de la Rome républicaine. Outre la décoration peinte, il agrémente le bâtiment d'ex-votos guerriers et de guirlandes champêtres destinées à évoquer la religion romaine des premiers temps de la République. Architecte de l'Assistance publique, il fait une carrière honorable. On peut citer, parmi ses œuvres, l'hospice des Incurables à Ivry, l'hospice des Ménages à Issy, le collège Sainte-Barbe, et des maisons pour une clientèle privée.

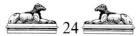

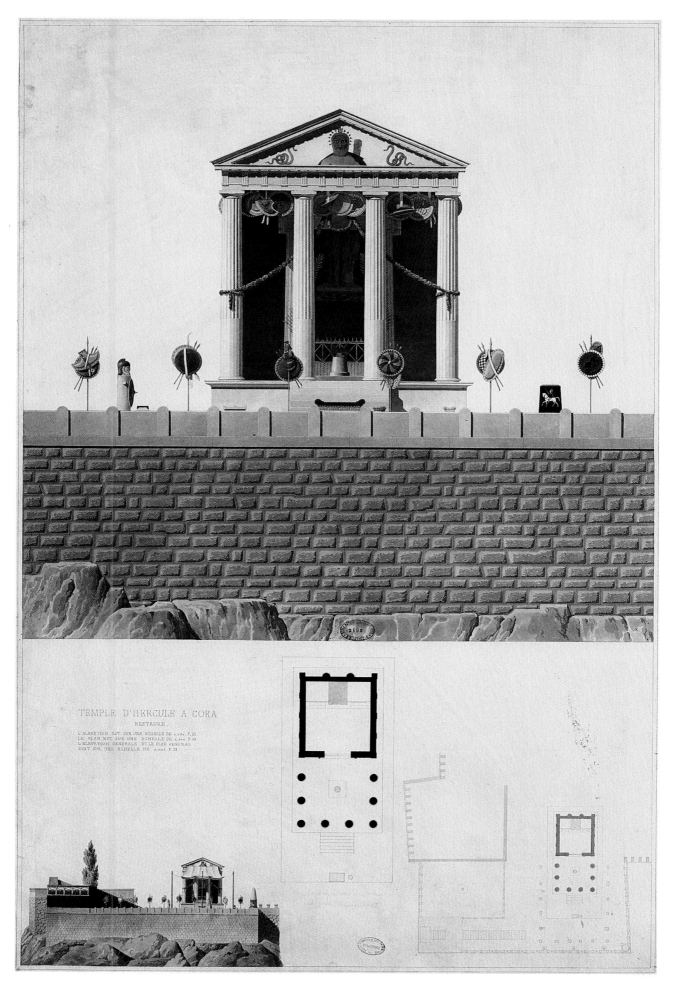

TEMPLE D'HERCULE A CORA
RESTAURÉ.

L'ÉLÉVATION EST SUR UNE ÉCHELLE DE o.o3c. P.M.
LE PLAN EST SUR UNE ÉCHELLE DE o.o1o. P.M
L'ÉLÉVATION GÉNÉRALE ET LE PLAN GÉNÉRAL
SONT SUR UNE ÉCHELLE DE o.oo5. P.M.

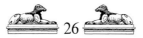

MARIE-ANTOINE DELANNOY
1800-1860
Restauration de l'Ile Tibérine, 1832
élévation postérieure, détail

1832
Encre de Chine et aquarelle sur papier entoilé
0,970 × 1,030
Paris, École Nationale Supérieure des Beaux-Arts

M.A. Delannoy remporte le Grand Prix en 1828. Il est le fils d'un architecte ayant lui-même gagné le Concours en 1778. Le sujet qu'il choisit pour son Envoi, l'Ile Tibérine à Rome, n'avait jamais été traité par un autre pensionnaire. Si le site avait l'avantage de la nouveauté, il avait par contre l'inconvénient d'être un lieu ayant beaucoup évolué depuis l'Antiquité. Delannoy disposait de peu d'éléments lui permettant une restitution scientifique; aussi présente-t-il, comme beaucoup de ses condisciples, une restauration contestable sur le plan archéologique, mais néanmoins pleine de charme.

Architecte moins brillant que son père, auquel il a consacré une étude biographique, Delannoy réalise seulement quelques constructions privées.

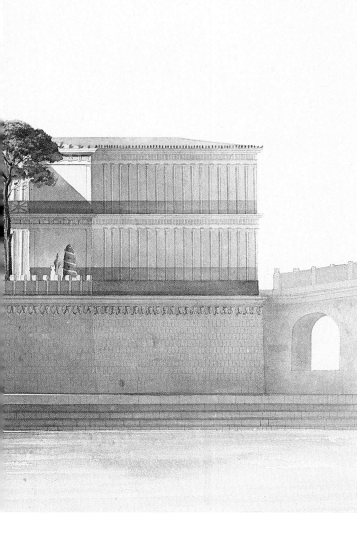

JACQUES-IGNACE HITTORFF ▶
1790-1867
Vue de l'intérieur d'une basilique antique restituée

1831
Plume et encre noire, aquarelle,
encadrement à la plume, collé en plein
0,610 × 0,850
Musée d'Orsay

La famille de Hittorff est originaire de Cologne. Le futur architecte, admis dans l'atelier de Charles Percier dès 1810, intègre l'École des Beaux-Arts en 1811. Il entre tôt dans la pratique professionnelle, comme assistant de Bélanger pour la coupole de la Halle au Blé, entre 1811 et 1813. Sous la Restauration, il a une intense activité architecturale: il a les fonctions officielles d'architecte du Roi pour les fêtes et cérémonies, il réalise également de nombreuses maisons et théâtres. Entre 1822 et 1824, il visite Rome et la Sicile. Il y découvre la décoration poly-chrome des temples antiques. Il présente le résultat de ses travaux à l'Académie dès son retour en 1824, ouvrant des débats qui dureront plusieurs années. Il publie également plusieurs ouvrages sur ce même sujet. Ces travaux d'érudition ne l'empêchent pas de continuer à avoir une grande activité architecturale jusqu'à la fin de sa vie: il construit l'église Saint-Vincent de Paul (1830-1844), il fait des aménagements pour les Champs-Élysées (1834-1840), la place de la Concorde (1832-1840) et surtout construit la gare du Nord (1859-1866).

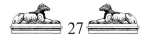

HITTORFF ARCHITECTE 1834.

JACQUES-FÉLIX DUBAN
1797-1870
A Florence, composition synthétique
1832

Aquarelle, 0,482 × 0,392
Paris, Ecole Nationale Supérieure des Beaux-Arts

Grand Prix de Rome en 1823, Duban est un des chefs de file de l'architecture romantique. Son séjour à la Villa Médicis, ses voyages en Italie sont essentiels dans la formation de son goût. Comme l'indique en 1872 Charles Blanc, un de ses biographes : "Jamais encore, que nous ne sachions, les monuments antiques n'avaient été étudiés, dessinés, rendus, avec une fidélité aussi merveilleuse, dans tous les accidents de leurs ruines, dans toutes les nuances de leur coloration" (dans : *Les Artistes de mon temps*).

Cette composition est significative : on retrouve associées, dans ces architectures imaginaires, des réminiscences antiques, médiévales et Renaissance. Rentré en France, Duban devient l'architecte officiel de l'École des Beaux-Arts : les bâtiments qu'il construit ou qu'il aménage rue Bonaparte sont caractéristiques de ces mêmes références : le Palais des Études est doté d'une façade Renaissance et l'ancien cloître des Petits-Augustins devient une cour de maison pompéienne, ornée de fresques, avec un petit jardin et un jet d'eau.

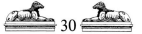

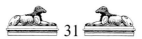

EUGÈNE VIOLLET LE DUC
1814-1879
Palais des Tuileries,

l'escalier neuf vu du vestibule
1834-1835
Mine de plomb, plume et encre brune,
lavis d'encre brune, aquarelle
0,409 × 0,274
Paris, Musée d'Orsay

Né dans un milieu d'artistes, Eugène Viollet le Duc montre très jeune un goût affirmé pour le dessin. Cependant, il ne fait pas ce que faisaient la plupart des jeunes gens de son temps qui souhaitaient devenir architectes, c'est-à-dire le classique cursus de la section d'Architecture de l'École des Beaux-Arts et le concours du Grand Prix de Rome, mais il se forme directement dans les ateliers des architectes Huvé et Achille Leclère, amis de ses parents. Plus tard, il dénoncera toujours le système d'enseignement des Beaux-Arts : il est le principal inspirateur de la réforme de l'École en 1863 et de la création de l'École Spéciale d'Architecture par Émile Trélat en 1864, sur le modèle des écoles d'ingénieurs. Le père d'Eugène Viollet le Duc avait des fonctions officielles au Palais des Tuileries. Vers 1830, il est promu Conservateur des résidences royales : la famille Viollet le Duc s'installe donc dans le château vers 1830. Le jeune homme avait alors moins de vingt ans. Son dessin, datant probablement de cette époque, montre à quel point il maîtrisait déjà les techniques de la perspective et de l'aquarelle.

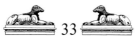

FRANÇOIS-LOUIS-FLORIMOND BOULANGER
1807-1875
Jardin d'hiver

Concours d'émulation: projet rendu, élévation et coupe

1835

Encre de Chine et aquarelle, légers rehauts d'or
0,395 × 0,660 et 0,395 × 0,675
Paris, École Nationale Supérieure des Beaux-Arts

Les projets "rendus" étaient des exercices mensuels de la section d'architecture de l'École des Beaux-Arts. Les étudiants étaient tenus de se présenter au moins à deux de ces exercices par an sous peine d'exclusion. Les projets "rendus" étaient réalisés en atelier à partir d'une esquisse originale faite en temps limité "en loge", c'est-à-dire dans un local isolé. Comme pour le concours du Grand Prix de Rome, le projet définitif devait être conforme à l'esquisse. L'étudiant avait donc plusieurs semaines pour développer son esquisse originale en un plan détaillé, une coupe et une élévation, et parfois même quelques feuilles de détails. Le programme de "jardin d'hiver" proposé en 1835 avait séduit Boulanger, qui propose un imposant bâtiment dont les formes font référence aux thermes antiques. Les teintes délicates de l'aquarelle préfigurent les tons plus soutenus qui seront utilisés dans le dessin d'architecture sous le Second Empire. Boulanger était un élève doué et il remportera le Grand Prix en 1836. En 1845, il sera chargé d'une importante mission archéologique en Grèce. C'est finalement dans ce pays, à Athènes, que se déroulera l'essentiel de sa carrière.

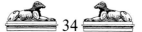

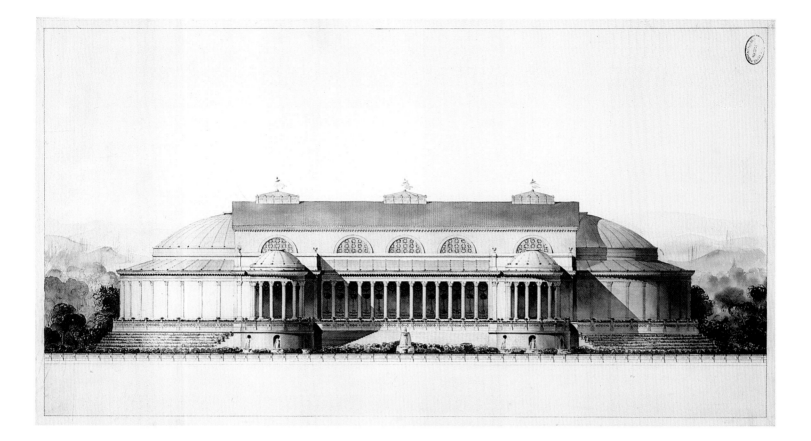

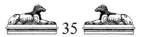

35

KARL FRIEDRICH SCHINKEL
1781-1841
Projet de résidence princière, entrée

1835

Encre noire et bleue, rehauts de bleu
0,558 × 0,488
Berlin, Schinkel Museum

Schinkel est un des plus importants architectes germaniques de la période néoclassique. Contemporain du règne de Frédéric Guillaume III de Prusse, il reçoit d'abord une formation chez l'architecte Gilly, puis à l'Académie d'Architecture de Berlin. Il fait le classique "Grand Tour" en Italie en 1803-1804, il y révèle des qualités de dessinateur exceptionnelles. Son œuvre peinte comme son œuvre graphique sont d'une très grande originalité. Il a travaillé pour la famille de Prusse ainsi que pour une clientèle particulière. Ses œuvres principales encore existantes sont le Musée et le Théâtre à Berlin, et de nombreuses résidences princières et privées. Il est également l'auteur de très beaux projets de décor pour "La Flûte enchantée" de Mozart. Ce dessin fait partie de son œuvre graphique léguée à l'État prussien après sa mort. Elle comprend de nombreux éléments théoriques, mais aussi des projets d'envergure pour les familles princières comme le château d'Orianda, en Crimée, sur la Mer Noire, ou le palais pour Othon de Grèce, sur l'Acropole d'Athènes.

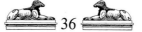

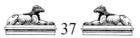

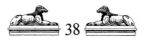

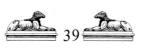 39

JACQUES-FÉLIX DUBAN
1797-1870
Château de Blois, aile François Ier
avant restauration

1846

Aquarelle, 0,620 × 0,970
Paris, Bibliothèque du Patrimoine

C'est pendant les premières décennies du XIXe siècle que naît l'intérêt pour les "antiquités nationales". La Société Française d'Archéologie est créée en 1834 et la Commission des Monuments Historiques en 1837. Les membres de cette dernière étaient chargés de restaurer et de mettre en valeur les grands monuments médiévaux et Renaissance. A cette époque, archéologues et architectes entreprennent études et relevés pour mieux connaître et restaurer les monuments du patrimoine national. Félix Duban fait partie de la Commission des Monuments Historiques dès sa création. Il a en charge le château de Blois, pour lequel il travaillera jusqu'à sa mort. Les états avant restauration, tel que celui-ci, étaient les documents graphiques nécessaires au travail de la Commission pour juger de l'ampleur des travaux, avant que la photographie ou des techniques dérivées, comme la photogrammétrie, ne prennent le relais à la fin du XIXe siècle.

GABRIEL ANCELET
1829-1895
Fontaine en Afrique
Concours d'émulation, esquisse: plan, coupe et élévation

1848

Encre de Chine et aquarelle
0,680 × 0,510
Paris, École Nationale Supérieure des Beaux-Arts

Cette esquisse est caractéristique des concours de l'École des Beaux-Arts au XIXe siècle. Elle était réalisée en un temps limité "en loge". Elle devait comporter un plan, une coupe et une élévation tenant compte de toutes les données du programme. Ancelet, brillant jeune élève (il n'a que 19 ans quand il réalise ce dessin) et futur Prix de Rome en 1851, compose sur un sujet d'actualité, puisque la colonisation de l'Algérie ne datait que de la dernière décennie. Son projet est une association d'un style orientaliste et des tendances "néogrecques" de l'architecture romantique. Après son séjour à la Villa Médicis et des voyages dans l'Orient méditerranéen, Grèce et Turquie, Gabriel Ancelet fait une carrière officielle. Pendant le Second Empire, il est chargé des travaux du château de Pau, de la villa impériale de Biarritz et du château de Compiègne. Sous la Troisième République, il se consacre au Conservatoire des Arts et Métiers, dont il édifie l'aile nouvelle sur la rue Saint-Martin.

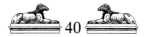

Fontaine sur une des routes d'Afrique

Ancelet Élève de M. Ballard

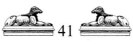

THOMAS HAMILTON
1784-1858
Projet pour la Galerie Nationale d'Écosse
1848

Aquarelle, 0,780 × 1,370
Edimbourg, Royal Scottish Academy

Hamilton est un des architectes majeurs du mouvement néoclassique en Écosse. Formé à la "Edinburgh High School", il travaille principalement dans cette ville et sa région.

Il participe également à des concours internationaux et gagne même une médaille d'or à l'Exposition Universelle de Paris en 1855. Son projet pour la Galerie Nationale d'Écosse, sur le modèle des temples grecs, mais qui ne fut pas réalisé, justifie pleinement qu'au siècle dernier, on ait appelé Édimbourg l' "Athènes du Nord".

CHARLES-ROBERT COCKERELL
1788-1863
Le rêve du professeur
1849

Plume et aquarelle
1,410 × 1,995
Londres, Royal Academy of Arts

Cockerell est l'un des plus beaux architectes classiques de son temps. Ses bâtiments les plus remarquables sont l'Ashmolean Museum à Oxford, construit entre 1841 et 1845, et la bibliothèque de l'Université de Cambridge, édifiée entre 1837 et 1840 et malheureusement inachevée. Formé dans l'atelier de son père et celui de Robert Smirke, leader du mouvement "Greak Revival", Cockerell part en 1810 pour le "Grand Tour" traditionnel. Celui-ci dure 7 ans et l'architecte multiplie les travaux archéologiques dans des sites aussi prestigieux que ceux du Parthénon ou d'Égine. En 1839, il est nommé membre de la Royal Academy, et en 1840 il devient professeur. Ce dessin est une sorte de résumé d'histoire de l'architecture qui associe tous les monuments importants depuis l'Égypte ancienne jusqu'à l'époque moderne.

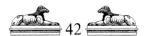

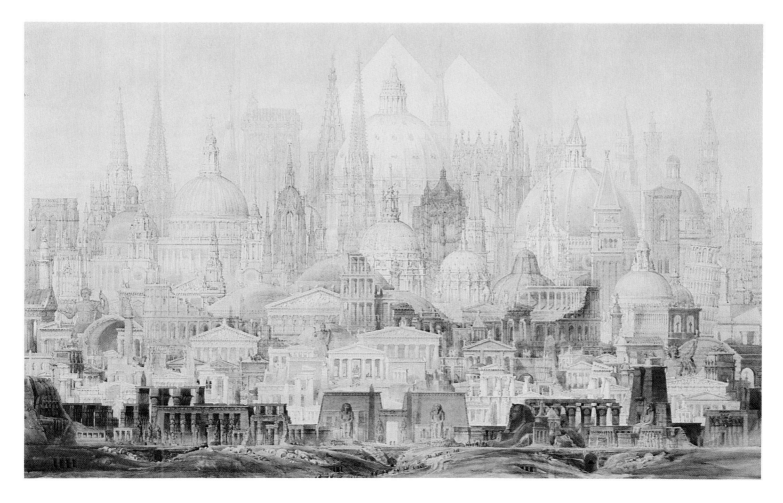

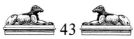 43

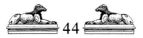

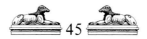

◀ EUGÈNE VIOLLET LE DUC
1814-1879
Taormine, vue restaurée du théâtre antique

1839

Aquarelle et gouache sur traits à la mine de plomb
0,766 × 1,335
Paris, Centre de recherches sur les monuments historiques

En 1836-1837, Viollet le Duc fait un voyage en Italie et en Sicile. Il en rapporte de nombreux dessins qui révèlent un intérêt aussi bien pour les monuments de l'Antiquité que ceux du Moyen Age ou de la Renaissance. Embarqué à Marseille, il visite successivement Gênes, puis Naples et ses environs. Il débarque ensuite à Palerme et fait le tour de la Sicile. Il rentre en passant par Rome, Pise, Florence, Assise, Padoue et Venise.

Lors de son circuit en Sicile, il arrive à Taormine le 14 juin 1836. Il va immédiatement voir le théâtre. "C'est la plus belle vue que j'ai jamais trouvée dans un voyage", écrit-il dans son Journal. Cette restitution animée et pittoresque, qu'il expose au Salon de 1840, même si elle est contestable sur le plan archéologique, rend bien compte de l'admiration qu'avait éprouvée le jeune architecte pour les paysages de l'Italie et ses monuments.

CARL ALEXANDER HEIDELOFF
1789-1865
Le château de Nuremberg
élévation après restauration

1851-1852

Plume et aquarelle
0,946 × 0,612
Munich, Architektursammlung der Technischen Universität

Comme Viollet le Duc en France, Heideloff est un défenseur de l'architecture médiévale germanique. Après des études à Stuttgart, il devient professeur à l'École Polytechnique de Nuremberg et conservateur des monuments de cette ville. Il y fait de nombreux travaux de restauration, notamment au château de Nuremberg.

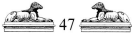

CHARLES-GUSTAVE-MARIE HUILLARD
1825-1893
Pont sur un chemin de fer
concours d'émulation: esquisse

1852

Encre de Chine et aquarelle
0,423 × 0,340
Paris, École Nationale Supérieure des Beaux-Arts

Dans ce concours de l'École des Beaux-Arts, le sujet traité par Huillard est un des rares programmes en relation avec les nouveautés techniques du temps, ce domaine étant plutôt réservé aux ingénieurs. Ce n'est que dans la seconde moitié du XIXᵉ siècle que des architectes auront à traiter intégralement de projets de gares, notamment J.I. Hittorff à la Gare du Nord ou V. Laloux à la Gare d'Orsay.

Dans le projet de Huillard, les deux pavillons et la galerie qui forment le pont sont encore très proches d'une architecture de pavillons de plaisance.

Après sa scolarité comme élève de V. Baltard, Huillard devient architecte de la Ville de Paris. Il réalise essentiellement des travaux pour les mairies du 1ᵉʳ et du 17ᵉ arrondissements. Il participe également à l'achèvement des nouvelles Halles, sous la direction de son ancien "patron".

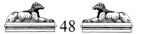

Pont sur un chemin de fer

Guillard
Élève de M. Dallard.

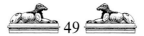

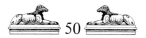

MAX BERTHELIN
1811-1877
Palais de l'Industrie

1854

Plume, encre noire et aquarelle
0,311 × 0,673
Paris, Musée d'Orsay

Max Berthelin est admis à l'École des Beaux-Arts en 1829 ; cependant, il ne persévère pas longtemps dans cette voie, puisqu'on ne retrouve pas sa trace en première classe. Il préfère suivre librement l'enseignement de Henri Labrouste. En 1847, il est attaché à la Commission des Monuments Historiques, et en 1852 archi- tecte à la Compagnie des Chemins de Fer de l'Est. Ses talents de dessinateur lui valent d'importantes commandes : en 1855, c'est lui qui exécute, sous la direction de Victor Baltard, directeur des travaux de la Ville de Paris, les dessins pour l'Album offert à la Reine Victoria.

Les expositions universelles, comme celles de Londres en 1851, Paris en 1855 et toutes celles qui suivront, étaient des laboratoires d'expérimentation pour les architectes : les palais et pavillons provisoires permettaient de tester des formes et des matériaux nouveaux.

Dans ce projet que propose Berthelin pour le Palais de l'Industrie sur les Champs-Élysées, c'est le fer qui est utilisé. Ce projet est purement théorique, car l'architecte ne participa ni à la conception, ni à la réalisation du Palais de l'Industrie (détruit en 1897-1900 pour aménager le Carré Marigny).

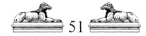

EUGÈNE VIOLLET LE DUC
1814-1879
Vue cavalière du château de Pierrefonds
en partie restauré

1858

Aquarelle, 0,520 × 0,660

Paris, Centre de Recherche sur les Monuments Historiques

Dans les premières décennies du XIXe siècle, l'intérêt pour l'archéologie nationale avait débouché sur la création de la Commission des Monuments Historiques. Viollet le Duc, pendant toute sa carrière, joue un rôle important dans cette instance. C'est lui qui prend en charge la restauration de monuments aussi importants que Notre-Dame de Paris, l'église de la Madeleine à Vézelay, ou Saint-Sernin de Toulouse. Le château de Pierrefonds datait de la fin du XIVe siècle, il avait été partiellement détruit au début du XVIIe siècle. Napoléon Ier avait acheté cette ruine, que Napoléon III décide de faire restaurer. Il confie cette charge à Viollet le Duc qui propose, compte tenu de l'état du château, une véritable reconstruction, assez fidèle à l'esprit de la forteresse en ce qui concerne l'extérieur, plus fantaisiste en ce qui concerne les aménagements intérieurs. Les travaux, inachevés au moment de la guerre de 1870, ne seront terminés qu'en 1885.

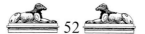

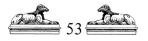

AUGUSTE MAGNE
1816-1885
Paris. Projet de l'église Saint-Bernard
Élévation du chevet

1858-1860
Encre et aquarelle
1,200 × 0,600
Angers, Musée des Beaux-Arts

Second Grand Prix de Rome en 1838, A. Magne fait partie de ces familles, typiques du siècle dernier, où l'on est architecte de père en fils, pendant souvent 3 ou 4 générations. Après ses études à l'École des Beaux-Arts, A. Magne devient inspecteur général des travaux de la Ville de Paris, sous la direction du préfet Haussmann. Il aménage de nombreux marchés ainsi que le Théâtre du Vaudeville. Il réalise également des travaux en province, notamment le théâtre de sa ville natale, Angers.

C'est entre 1858 et 1861 qu'il construit l'église Saint-Bernard, rue d'Affre, dans le 18e arrondissement de Paris. Comme beaucoup de ces églises du XIXe siècle correspondant à la renaissance des pratiques religieuses en France, elle est construite dans le style gothique. La qualité du dessin est plus belle que la qualité architecturale de ces édifices, généralement assez froids.

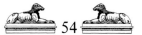

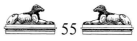

CHARLES GARNIER
1825-1898
Immeuble pour Monsieur Aucler
étude pour la façade

1860
Encre de Chine et aquarelle
0,460 × 0,305
Paris, École Nationale Supérieure des Beaux-Arts

Lauréat du Prix de Rome en 1848, Charles Garnier séjourne en Italie, en Grèce et en Turquie, notamment avec Edmond About et Théophile Gautier. A son retour en France en 1854, il est nommé sous-inspecteur aux travaux de la Tour Saint-Jacques. Il réalise aussi un certain nombre de chantiers privés, dont cet immeuble situé sur le boulevard de Sébastopol, un des nouveaux axes du Paris haussmannien. Ce type d'immeuble se multipliera, avec quelques variantes, pendant tout le Second Empire, sur les artères parisiennes nouvellement tracées comme le boulevard Saint-Michel ou l'avenue de l'Opéra toujours sur le même schéma: des boutiques au rez-de-chaussée et à l'entresol, un premier étage plus haut de plafond correspondant à l'étage noble, un dernier étage avec balconnet courant tout le long de la façade, et une toiture mansardée.

Cet immeuble de rapport est le seul construit par l'architecte; à partir de 1861, après avoir remporté le concours, il se consacrera à l'Opéra.

VICTOR BALTARD
1805-1874
Façade occidentale de l'Église Saint-Augustin

1860-1871
Plume et encre noire avec rehauts d'aquarelle et d'or
0,601 × 0,422
Paris, Musée d'Orsay

Après des études traditionnelles à l'École des Beaux-Arts dans l'atelier de son père Louis-Pierre Baltard, et le Grand Prix de Rome en 1833, Victor Baltard a fait une brillante carrière. Son nom reste attaché aux Halles centrales de Paris, achevées en 1856 et aujourd'hui détruites. De 1860 à 1871, il est chargé d'édifier la nouvelle église Saint-Augustin, à Paris, située au carrefour du boulevard Malesherbes et du boulevard Haussmann. Sous une peau en pierre, le bâtiment est entièrement métallique. L'architecte associe les formes traditionnelles d'un portail à trois arcs, d'une rosace et d'un fronton au matériau nouveau qu'est alors le fer qu'il avait déjà employé d'une façon plus visible et sans doute plus heureuse pour les pavillons des Halles.

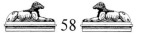

Échelle de ... les cotes sont indiquées et les mesures sont en mètres

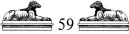

CHARLES GARNIER
1825-1898
Coupe sur l'escalier de l'Opéra de Paris

1862

Aquarelle

1,285 × 0,935

Paris, Bibliothèque Musée de l'Opéra

C'est à la fin de l'année 1860 qu'a lieu le concours pour la construction du nouvel Opéra de Paris, monument majeur de l'œuvre haussmannienne, situé à l'intersection de six grandes artères. Plus de deux cents concurrents, dont Viollet le Duc, déjà célèbre à l'époque, participent au concours qui est finalement remporté par Charles Garnier alors totalement inconnu. Le projet de ce dernier, très original, fut diversement apprécié par la critique. Le chantier de ce bâtiment complexe dura de 1862 à 1875. Il existe de nombreux dessins préparatoires et dessins de travail, de la main de C. Garnier ou de ses collaborateurs concernant l'élaboration du projet. Cette coupe délicatement rehaussée d'aquarelle est faite au niveau de l'immense escalier d'honneur qui dessert la salle et le grand foyer. Ce type de dessin, même s'il n'était pas la version définitive, permettait de mettre au point la polychromie du bâtiment dont le décor associe la peinture, la mosaïque, les marbres polychromes, etc.

Après l'achèvement de ce qui reste le prototype du style Napoléon III, Charles Garnier sera l'architecte de nombreuses autres réalisations comme le Cercle de la Librairie, boulevard Saint-Germain, le Casino de Monte-Carlo, ou le Grand Observatoire de Nice.

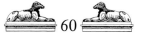

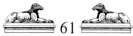 61

CONSTANT MOYAUX
1835-1911
Dôme d'Orvieto, élévation de la façade

1866

Plume et aquarelle
0,405 × 0,350
Paris, Académie d'architecture

Entré à l'École des Beaux-Arts en 1852, Moyaux remporte le Grand Prix en 1861. La période de son pensionnat à Rome lui permet de voyager en Italie. C'est de cette époque que date ce relevé de la cathédrale d'Orvieto en Ombrie, chef-d'œuvre de l'art gothique italien. Seuls les Envois officiels de 4ᵉ année étaient limités à l'Antiquité classique, les relevés ou études faits les autres années pouvaient porter sur d'autres périodes.

Rentré en France, Moyaux réalise beaucoup de constructions privées. Dans le domaine des constructions publiques, ses chantiers les plus importants sont l'Observatoire de Meudon et le siège de la Cour des Comptes à Paris (achevé en 1906). Il a aussi exercé des fonctions comme chef d'un atelier officiel à l'École des Beaux-Arts, succédant en 1890 à Jules André.

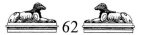

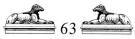

ÉMILE BÉNARD
1844-1929
Hôtel pour un riche banquier,
2e accessit pour le Concours du Prix de Rome,
élévation de la façade sur le jardin

1866
Encre de Chine et aquarelle
1,480 × 2,600
Paris, École Nationale Supérieure des Beaux-Arts

Le sujet du Grand Prix de Rome de 1866: "Un hôtel pour un riche banquier" était un vaste programme, comprenant les bureaux de la banque, l'habitation principale du banquier et des habitations annexes pour le fils marié et le fils célibataire. Il correspond à l'époque des vastes opérations immobilières du Second Empire. Le projet proposé par Bénard, comme ceux des autres lauréats pourrait correspondre à la description de l'hôtel particulier, construit dans le nouveau quartier du Parc Monceau par l'affairiste Saccard, que fait Émile Zola dans son roman *La Curée*.

Cette élévation met particulièrement en valeur le bâtiment central axé sur un magnifique jardin d'hiver. Cependant cette année-là le jury préférera le projet de Jean-Louis Pascal. Bénard ne remportera le Grand Prix que l'année suivante. Après son retour de la Villa Médicis, il entreprend de nombreux chantiers privés. Il remporte d'importants concours internationaux, comme celui pour la construction de l'Université de Berkeley en Californie, pour lequel on lui préférera un architecte américain, ou celui ouvert pour la réalisation de la Chambre des députés de Mexico. Après avoir remporté celui-ci, l'essentiel de ses activités sont partagées entre le Mexique et la France.

ERNEST COQUART
1831-1902
Projet d'installation du Musée des Antiques
dans la cour couverte du Palais des études
de l'École des Beaux-Arts, coupe longitudinale

1871-1872
Plume, lavis et aquarelle
0,485 × 0,895
Paris, Académie d'architecture

Après le cursus classique des études d'architecture à l'École des Beaux-Arts et le Grand Prix de Rome, E. Coquart succède à Félix Duban, mort en 1870, comme architecte officiel des bâtiments de la rue Bonaparte. La cour centrale du Palais des études, achevée en 1837, avait été conçue à ciel ouvert comme la cour d'un palais italien. En 1863 Duban avait réalisé la verrière permettant d'utiliser à couvert cet espace supplémentaire. E. Coquart présente dans ce dessin le projet d'aménagement des collections de moulages d'antiques, à peu près tel qu'il sera ouvert au public en 1872. A droite, autour des colonnes du Parthénon, sont regroupés les moulages grecs, tandis qu'à gauche, autour des colonnes du Temple de Castor et Pollux, sont regroupés les moulages romains. La coupe se prolonge sur les galeries grecque et romaine du Palais des études alors que les salles du premier étage ne sont pas représentées. Cet aménagement a subsisté jusqu'en 1971, la collection de moulages d'antiques ayant été transférée aux Petites Écuries de Versailles.

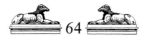

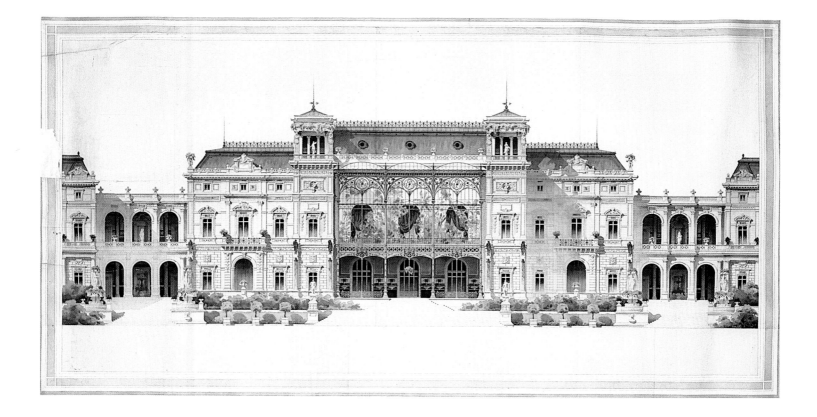

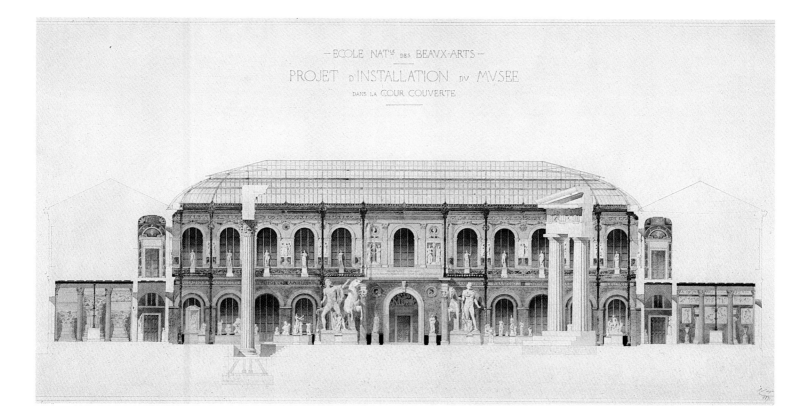

ÉCOLE NAT^le DES BEAVX-ARTS

PROJET D'INSTALLATION DV MVSÉE

DANS LA COVR COVVERTE

AUGUSTE MAGNE
1816-1885
Paris, Théâtre du Vaudeville

élévation de la façade

1870

Lavis gris, aquarelle, plume et encre noire avec rehauts
de gouache et d'or sur esquisse à la pierre noire
0,814 × 0,500
Paris, Musée d'Orsay

A. Magne éleva le théâtre du Vaudeville entre 1867 et 1869 à l'angle du boulevard des Capucines et de la Chaussée d'Antin, sur l'emplacement de l'ancien hôtel de Montmorency. En même temps il travaillait pour un autre théâtre, celui d'Angers, sa ville natale, qu'il achèvera peu après celui de Paris. La salle du Vaudeville fut inaugurée le 23 avril 1869 avec, entre autres, une pièce d'Eugène Labiche. Cette aquarelle très soignée est postérieure à l'achèvement du chantier. C'est une élévation sans perspective, qui met sur le même plan les immeubles voisins et le théâtre dont la partie bombée est à l'angle des deux rues. Le théâtre du Vaudeville est devenu un cinéma en 1927, en subissant un certain nombre de transformations intérieures et extérieures.

La façade du bâtiment existant (c'est aujourd'hui le Paramount-Opéra), est cependant encore très proche de ce dessin.

AUGUSTE MAGNE
1816-1885
Paris, Théâtre du Vaudeville
vue et coupe de la loge d'avant-scène

1867-1870

Encre et aquarelle
0,68 × 0,525
Angers, Musée des Beaux-Arts

La richesse de la décoration inté-
rieure du théâtre du Vaudeville,
comme celle de la façade, correspond bien au goût exubérant et
surchargé du Second Empire. Cariatides sculptées, draperies et peintures entourent la loge officielle
surmontée des armes de la Ville de
Paris. A droite, la coupe montre le
profil des cariatides. En bas, la
silhouette d'un des musiciens apparaît dans la fosse d'orchestre. L'aménagement du cinéma, en 1927, a
totalement fait disparaître ce décor.

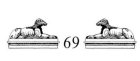

ALFRED VAUDOYER
1846-1917
Un monument funéraire commémoratif de la défense de Paris, élévation

Projet pour le concours Achille Leclère

1871

Crayon, plume et encre noire, aquarelle
1,130 × 0,810
Paris, Musée d'Orsay

Alfred Vaudoyer fait partie de l'une des plus célèbres dynasties d'architectes du XIXᵉ siècle. Il est le petit-fils d'Antoine-Laurent-Thomas, professeur d'architecture pendant la Révolution et l'Empire, le fils de Léon, architecte de la Cathédrale de Marseille, et le père de Léon-Jean-Georges, né en 1877, lui-même architecte. Après sa formation à l'École des Beaux-Arts, Alfred a réalisé de nombreuses constructions privées. Il a travaillé pour les Expositions universelles de 1878 et de 1889. Le Prix Achille Leclère, fondé par l'architecte Achille Leclère en 1854, devait d'abord être attribué systématiquement au Second Prix de Rome. A partir de 1865, l'attribution du prix est faite à partir d'un concours spécial, organisé par l'Académie des Beaux-Arts. Le sujet de 1871 commémore les événements récents de la guerre de 1870. Le monument proposé par Vaudoyer semble inspiré par les tombeaux antiques, comme celui de Mausole à Halicarnasse en Asie Mineure, l'une des sept merveilles du monde dans l'Antiquité.

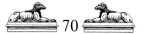

A·LA·MEMOIRE
DES·CITOYENS·MORTS
SOUS·LES·MURS·DE·PARIS
EN·COMBATTANT
POUR·LA·DEFENSE·DE·LA·PATRIE
1870-1871

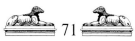

ÉDOUARD CORROYER
1837-1904
Projet d'établissement balnéaire sur la Méditerranée
(deux perspectives)

1872
Plume et aquarelle
Ensemble des trois dessins jointifs, 0,565 × 0,940
Paris, Académie d'architecture

Corroyer est un des élèves de Viollet le Duc. Membre de la Commission des Monuments historiques, il a en charge le Mont Saint-Michel, qu'il restaure entre 1874 et 1888. Il est également l'auteur d'ouvrages sur l'architecture romane et l'architecture gothique.

Ce projet d'établissement balnéaire sur les bords de la Méditerranée est un esprit tout à fait différent de son travail habituel ou du travail des architectes du XIXᵉ siècle, en général, tant par la technique de représentation utilisée, un système de perspectives multiples, que par le sujet. L'existence des stations balnéaires était un phénomène récent ; seules la côte normande ou la ville de Biarritz, mise à la mode par l'Impératrice Eugénie, sous le Second Empire, étaient fréquentées par la bonne société européenne. Le projet de Corroyer préfigure l'essor que va connaître la Côte d'Azur à la fin du XIXᵉ siècle.

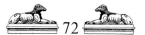

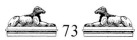

EUGÈNE TRAIN
1832-1903
Collège Chaptal, vue cavalière

1875

0,533 × 0,734

Paris, Musée d'Orsay

Entré à l'École des Beaux-Arts en 1851, E. Train fait essentiellement sa carrière comme architecte de la Ville de Paris, pour laquelle il réalise beaucoup de constructions scolaires, comme par exemple le lycée Voltaire. Le collège Chaptal, pour lequel il obtint le Prix Duc, a été construit entre 1863 et 1875. Ce prix avait été fondé par l'architecte Duc en 1869, "pour encourager les hautes études architecturales". Le concours était jugé par l'Académie des Beaux-Arts, après une exposition publique. Cette vue cavalière rend bien compte du plan construit sur des axes principaux et secondaires, typique de la composition telle qu'on l'enseignait dans les ateliers de l'École des Beaux-Arts. Quoique influencé par le courant rationaliste issu des théories de Viollet le Duc, on voit que l'architecte demeure fidèle à une tradition de la symétrie.

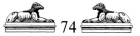

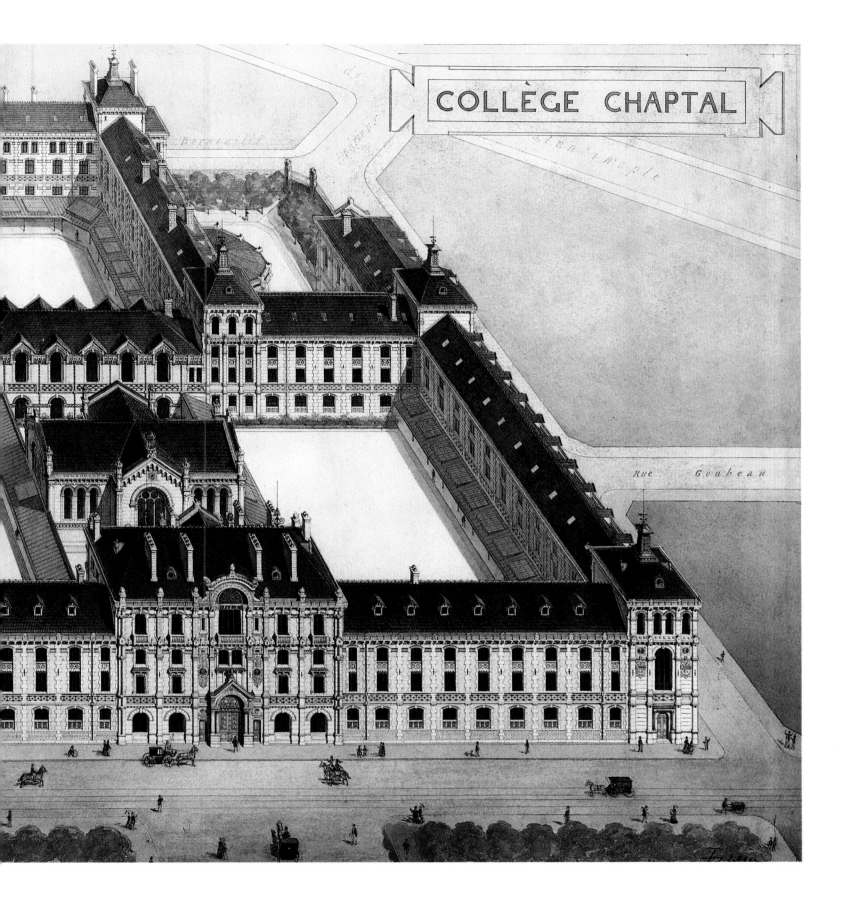

COLLÈGE CHAPTAL

Rue Goubeau

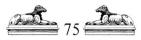

ÉMILE CAMUS
1849-1905
La Cour du Mûrier à l'École des Beaux-Arts

1877

Encre de Chine et aquarelle
0,554 × 0,389
Paris, École Nationale Supérieure des Beaux-Arts

Émile Camus est admis à l'École des Beaux-Arts en 1867, dans l'atelier de Daumet. Il en sort diplômé en 1876. Sa carrière se déroule en province : Palais de justice de Meaux, École normale des Instituteurs de Clermont-Ferrand, Casino de La Bourboule, agrandissement et restauration de l'établissement thermal du Mont-Dore, constructions particulières, etc. Dans ce dessin réalisé peu de temps après avoir quitté l'École des Beaux-Arts, il montre la Cour du Mûrier, l'ancien cloître du couvent des Petits-Augustins aménagé en atrium dans le goût pompéien par F. Duban. La cour, au centre de laquelle est planté le mûrier d'où elle tire son nom, est ornée des Envois de Rome, copies d'antiques réalisées par les pensionnaires de la Villa Médicis. Un moulage de la frise du Parthénon court tout autour du mur du cloître. Au fond s'élève le Monument à Regnault, qui venait d'être achevé par les architectes J.-L. Pascal et E. Coquart et les sculpteurs H. Chapu et P. Degeorge. (Lors du déclenchement de la guerre de 1870, le peintre Henri Regnault, Grand Prix de Rome en 1866, était pensionnaire à Rome, par conséquent exempté du service militaire. Revenu à Paris comme engagé volontaire, il avait été tué à Buzenval en 1871.)

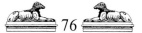

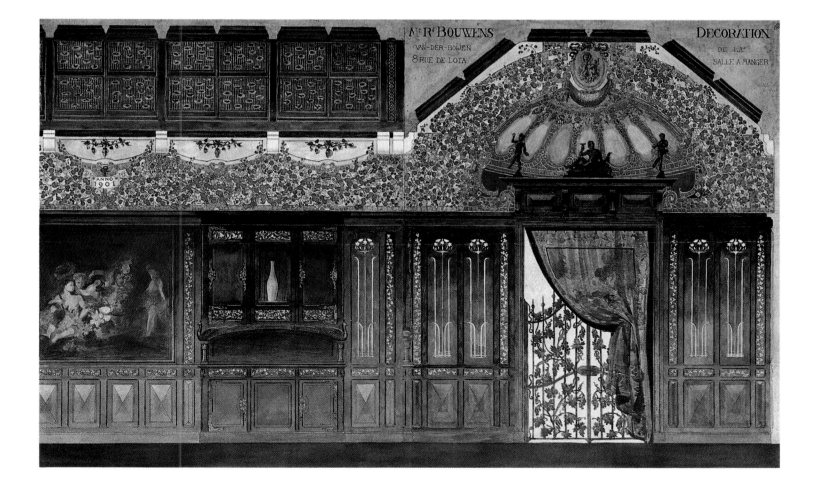

STEPHEN SAUVESTRE
1847-?
Villa Tourne-Bride à Lamorlaye

1910

Mine de plomb, plume et encre noire, aquarelle

0,537 × 0,459

Paris, Musée d'Orsay

Sauvestre est un des premiers architectes issus de l'École spéciale et centrale d'architecture, créée par E. Trélat en 1864 sous l'influence de Viollet le Duc, sur le modèle des écoles d'ingénieurs. En 1889 il est le principal collaborateur architecte de Gustave Eiffel pour la construction de la Tour Eiffel. Pour cette même exposition il construit de nombreux pavillons. Il a une importante clientèle privée pour laquelle il réalise beaucoup de maisons dans le style "pittoresque". Un de ses principaux clients est la famille des chocolatiers Menier pour laquelle il réalise cette villa rendez-vous de chasse en forêt de Chantilly.

Il a également construit pour la famille Menier une partie des usines de Noisiel, et des bâtiments dans l'île d'Anticosti au Canada.

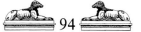

TOURNE-BRIDE
A
LAMORLAYE

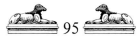

ORIENTATION BIBLIOGRAPHIQUE

Geneviève Monnier.
Dessins d'architecture du XVe au XIXe siècle
dans les collections du Musée du Louvre.
Exposition, Musée du Louvre, Paris, 1972.

Catalogue of the drawings collections
of the Royal Institute of British architects.
Londres, 1972 et suiv.

Paolo Marconi, Angela Cipriani, Enrico Valeriani.
I disegni di architettura dell'Archivo
storico dell'Accademia San Luca.
Rome, 1974.

Images et imaginaires d'architecture.
Exposition, Centre Georges-Pompidou..
Paris, 1984.

Winfried Nerdinger.
Die Architekturzeichnung : vom barocken
Idealplan zur Axonometrie.
Munich, 1985.

Musée d'Orsay, catalogue sommaire illustré
des dessins d'architecture et d'art collectif.
Paris, 1986.

Académie d'architecture, catalogue des collections.
Tome I, 1750-1900.
Paris, 1987.

Annie Jacques, Richi Miyake.
Les dessins d'architecture de l'Ecole des Beaux-Arts.
Paris, 1988.

Académie de Bruxelles, deux siècles d'architecture.
Bruxelles, 1989.

CRÉDITS PHOTOGRAPHIQUES